PARIS
Panorama

Chers parents,

Nous voilà arrivés à Paris !
Les gens de l'hôtel sont très
gentils mais ils paraissent surpris
en voyant mes petits amis. De la
fenêtre de notre chambre, on
découvre Paris, ses maisons, ses
monuments, Notre-Dame et,
tout au loin, la Tour Eiffel.
Nous irons la visiter aujourd'hui.
A demain la suite,
je vous embrasse très fort.
Votre

Caroline.

PIERRE PROBST

Caroline

visite Paris

H HACHETTE
Jeunesse

Chers parents,

Nous étions très contents de prendre le métro... mais quelle aventure! Pour commencer, Pouf et Noiraud ont eu des ennuis en compostant leurs tickets. Ensuite Youpi et Bobi, sans le vouloir, ont dérapé sur un escalier mécanique. Et puis nous nous sommes perdus dans les couloirs! Et enfin, la plus belle: nous qui voulions voir la Tour Eiffel, nous nous sommes retrouvés à Montmartre! Je vous embrasse très fort. Caroline.

Mo

à C

28

C

PARIS - La Place du Tertre
et le Sacré-Cœur

Chers parents,

C'est en funiculaire que nous
sommes montés au Sacré-Cœur.
Après, nous nous sommes promenés
dans les rues de Montmartre.
Comme c'est joli ! Nous avons fait
une halte place du Tertre. Là, il
y a beaucoup d'artistes, et
encore plus de touristes. Nous avons
voulu imiter les peintres.
Noiraud a raté son dessin à cause
d'un petit chien, Pouf a utilisé
trop de bleu et Youpi a décoré
un monsieur ! Mais en vacances,
cela n'a aucune importance !

Tendrement, votre

Caroline.

Mo

à

28

C

PARIS —
Le Jardin des Tuileries et
l'Arc de Triomphe du
Carrousel

Chers parents,

Cet après-midi, le bus nous a déposés place de la Concorde et nous sommes entrés dans le jardin des Tuileries. Comme terrain de jeux, il n'y a pas mieux ! On peut faire des parties de cache-cache derrière les arbres et les statues, des tours de manège et de balançoire, aller au Guignol ! C'est merveilleux ! Nous avons acheté des gaufres et des barbes à papa, et puis mes petits amis ont sauté dans un bassin. Il paraît que c'est interdit, mais le garde n'a rien dit. Je vous embrasse,

Caroline.

LES
VOILIERS
SONT PRIÉS
DE NE PAS
GÊNER
LA
COURSE
merci

Paris, le 3 juin

Chers parents,

Hier nous sommes allés au musée du Louvre où se trouve le célèbre tableau : La Joconde. Les touristes viennent du monde entier pour l'admirer. Mais quand on n'est pas grand, ce n'est pas facile de l'apercevoir ! Mes amis n'ont pas été d'une sagesse exemplaire. Un monsieur a même dit : "On aura tout vu !" Nous, nous n'avons pas tout vu. Il faudrait des jours et des jours pour visiter toutes les salles du musée !

Aujourd'hui nous avons fait une promenade sur les quais de la Seine. Nous avons admiré les étalages des bouquinistes. Pouf a acheté un livre, Kid a cherché des gravures. Un bouquiniste m'a confié la garde de son étalage : j'étais drôlement contente !

Je vous embrasse de tout mon cœur.
Votre Caroline.

TÉLÉGRAMME

B- AUC 961 9   27   06 1447

Catastrophe stop Pitou envolé en
ballons stop disparu stop faisons
recherches stop   Caroline

- PARIS -
Centre National d'Art et de Culture
Georges Pompidou

Chers parents,

A Beaubourg, nous avons chanté :
"Il y a de quoi être stupéfait
en découvrant ce superbe palais
de verre, de tuyaux et de boulons
au milieu des vieilles maisons !
Si grand-père voyait ça,
il n'en reviendrait pas.
Pitou, où es-tu, Pitou, que fais-tu ?
Braves gens, aidez-nous à la retrouver,
vous serez récompensés !"
Nous avons eu un succès fou, mais
personne n'a aperçu Pitou.
Je vous embrasse très fort.
Caroline.

Monsie
à Cha
28190
Cou

PARIS vu des Tours de Notre-Dame
a Tour St-Jacques et au fond :
e Sacré-Cœur

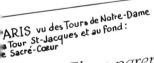

Chers parents,

Nous sommes montés sur les tours de Notre-Dame. Boum était le plus essoufflé, Bobi avait le vertige. Pouf a fait plein de grimaces pour ressembler aux grosses gargouilles de pierre!

Tout à coup, nous avons vu Pitou passer au-dessus de nous. Nous avons crié: "Pitou, attention, tu n'as plus que quatre ballons! Vite, redescends, on t'attend!"

Tendrement, votre

Caroline.

Monsie

à Cha

28190

Cou

PARIS- Les quais de la Seine
la Cité et le Pont-Neuf

Chers parents,

Quelle joie ce fut de retrouver Pitou! Aujourd'hui, pour aller à l'île de la Cité, nous avons traversé le Pont-Neuf. Youpi n'a pas voulu croire que c'était le plus vieux pont de Paris! Les promeneurs s'étonnent de nous voir jouer aux boules. Kid et Noiraud préfèrent pêcher et regarder passer les bâteaux-mouches. Demain soir, nous irons à l'Opéra. Mes amis sont ravis mais regrettent que les vacances soient presque finies.

A très bientôt. Tendrement,

Votre Caroline.

Bobi

Kid

Noiraud

Pouf

Dépôt légal n° 70705 - Avril 2006
22.10.1897.2/19
ISBN : 20101011456
Imprimé en France par I.M.E. - 25110 Baume-les-Dames
Loi n° 49-956 du 16 juillet 1949
sur les publications destinées à la jeunesse